Cómo ser Un Niño Pequeño Con Mentalidad de Crecimiento

Autora: Doc Chelle

Dra. Michelle Ihrig

Cómo Ser un Niño Pequeño con Mentalidad de Crecimiento © 2021 por Dra. Michelle Ihrig.
Todos los derechos reservados.

Todos los derechos reservados. Ninguna parte de este libro puede reproducirse en ninguna forma, ni por ningún medio electrónico o mecánico
incluyendo sistemas de información y recuperación de la información, sin autorización escrita de la autora, excepto para reseña de libros, en las que se pueden citar breves pasajes.

Dra. Michelle Ihrig

Traducción al español por David Martínez Argüelles

Un agradecimiento muy especial a Willmer González y los siguientes diseñadores de envato elements:
aHandDrawn alexdndz BoykoPictures
Chanut_industries creativevip ddraw
GoodWare_Std iconbunny Iconsoul
jumsoft kerismaker Krafted Middtone
polshindanil vontagio wowomnom Zomorsky

Dra. Michelle Ihrig
www.DocChelle.com

Live Growth Focused
www.LiveGrowthFocused.com

Impreso en los Estados Unidos de América

Primera edición: abril del 2021
TempleEdge Publishing

ISBN-13 978-1-946568-21-2

Dedico
este libro
a mis
alumnos.

Mentalidad de Crecimiento

Hazlo lo mejor que puedas,

incluso cuando sea difícil.

Voy a aprender sobre la mentalidad de crecimiento.

Mentalidad de crecimiento significa intentar dar siempre lo mejor de mí mismo.

Lo haré lo mejor que pueda en música y arte.

Lo haré lo mejor que pueda en ciencia y deporte.

Voy a ser un buen pensador.

Una persona con mentalidad fija prefiere no intentarlo.

Una persona con
mentalidad de
crecimiento
adora intentarlo.

Las caras de una mentalidad fija.

Las caras de una mentalidad de crecimiento.

Puedo elegir tener una Mentalidad de crecimiento.

A veces la vida es difícil.

A veces
estoy
triste o
enfadado.

Pero puedo aprender de mis errores.

Puedo pensar en momentos más felices...

como comer helado,

ir a nadar,

tocar música,

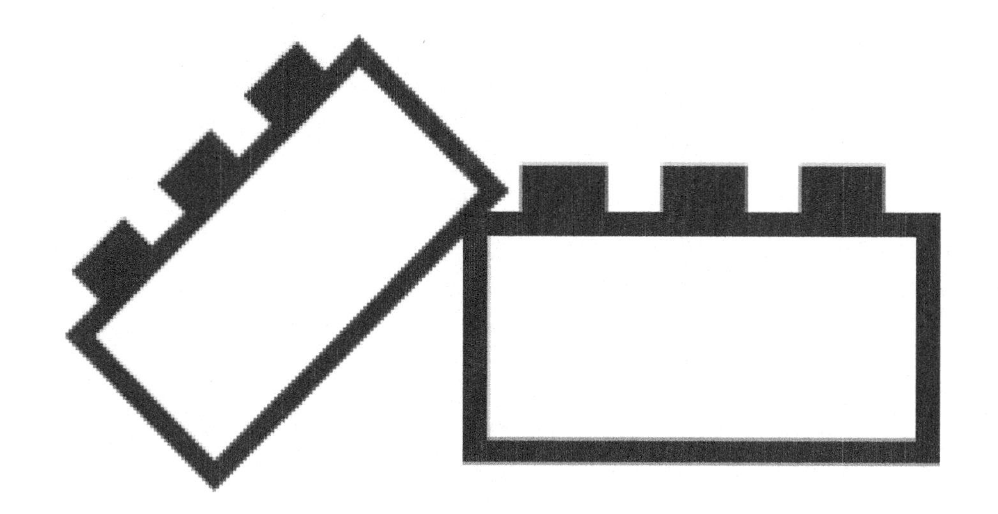

o jugar con
Legos.

Cuando aprendo, crezco.

Me gusta
aprender
cosas
nuevas.

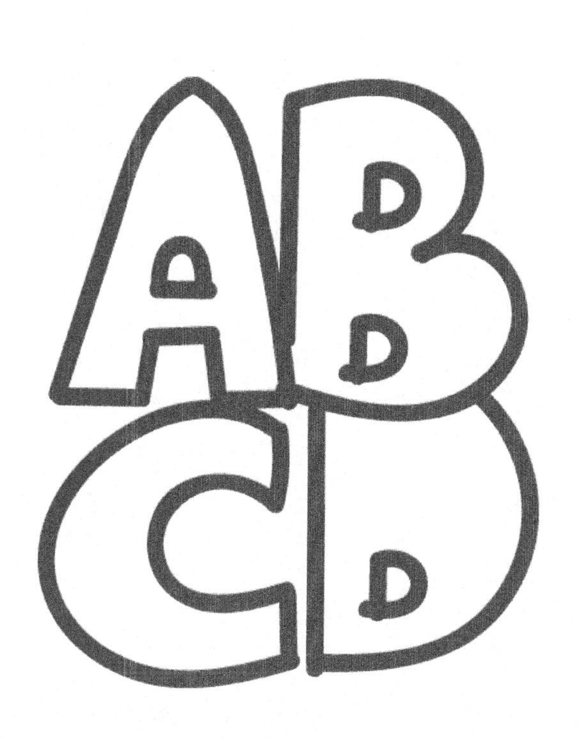

A veces
prefiero jugar.

Me gusta estar con el ordenador.

A veces prefiero leer.

Hacer preguntas

me ayuda a

aprender.

Mi cerebro se ejercita cuando aprendo.

Mentalidad de crecimiento significa dar lo mejor, incluso cuando no es fácil.

Hacer amigos es bueno.

Me gusta dibujar con mis amigos.

A veces

mis amigos

prefieren hacer otras

cosas.

Cuando respeto los turnos soy buen amigo.

Algunas personas podrían ponerme triste.

Cuando esté triste,
se lo diré a un adulto.

Voy a ser un buen amigo.

Algunos niños pasan demasiado tiempo con la tecnología.

Cuando los adultos eran jóvenes, las cosas eran distintas.

Los adultos hacían otras actividades sin tecnología:

como leer,

patinar,

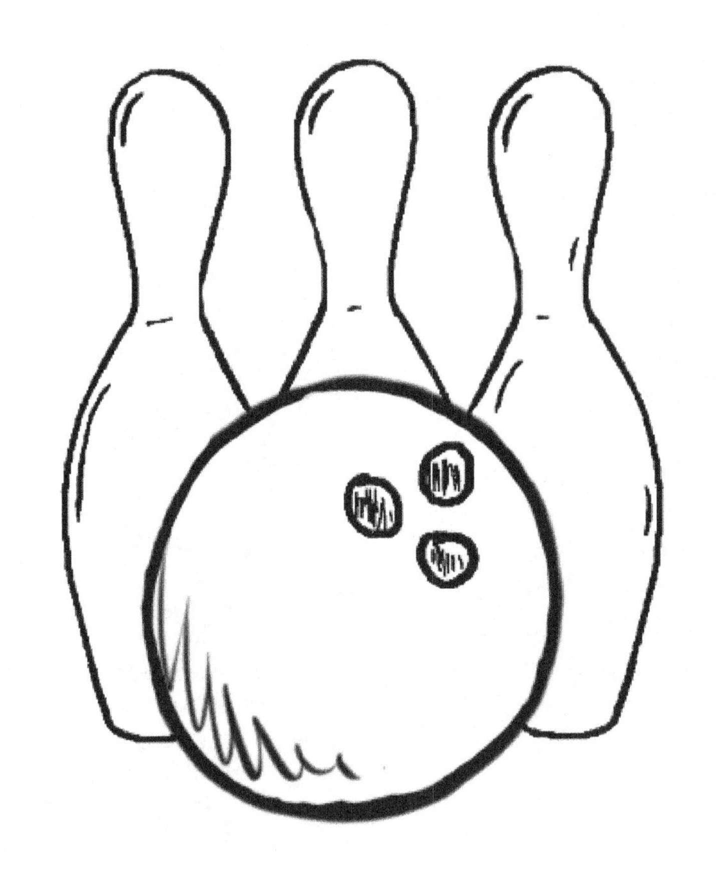

o jugar a los bolos.

Hay que tener cuidado con usar demasiada tecnología.

Voy a equilibrar mi tiempo.

Ayudará a que
mi cerebro crezca bien.

Voy a tomar buenas decisiones sobre la tecnología.

Un equipo es
un grupo de
personas
que hacen
cosas juntas.

Algunas personas están en equipos de natación.

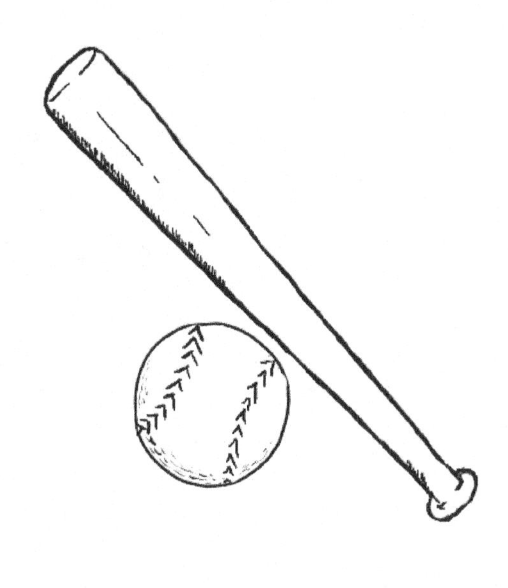

Algunas personas están en equipos de béisbol.

Cuando estoy en un equipo a veces hablo, otras veces escucho.

Siempre soy amable y justo.

Ayudo a mis compañeros a dar lo mejor de sí mismos.

La Mentalidad de Crecimiento Consiste en ayudar a otros a dar lo mejor de ellos mismos.

Los adultos
me ayudan a aprender.

Aprendo

juegos nuevos.

Aprendo sobre estar afuera.

Cuando ayudo en casa, soy amable.

A veces ayudo en la cocina.

A veces ayudo a
recoger la ropa.

Puedo hablar con un adulto siempre que necesite ayuda.

Ayudar a otros es bueno.

Me gusta jugar con trenes.

Me gusta escuchar historias.

Me gusta ir al colegio.

No pasa nada
si te gustan
cosas diferentes.

Me gusta dibujar.

A veces mis amigos prefieren hacer otras cosas.

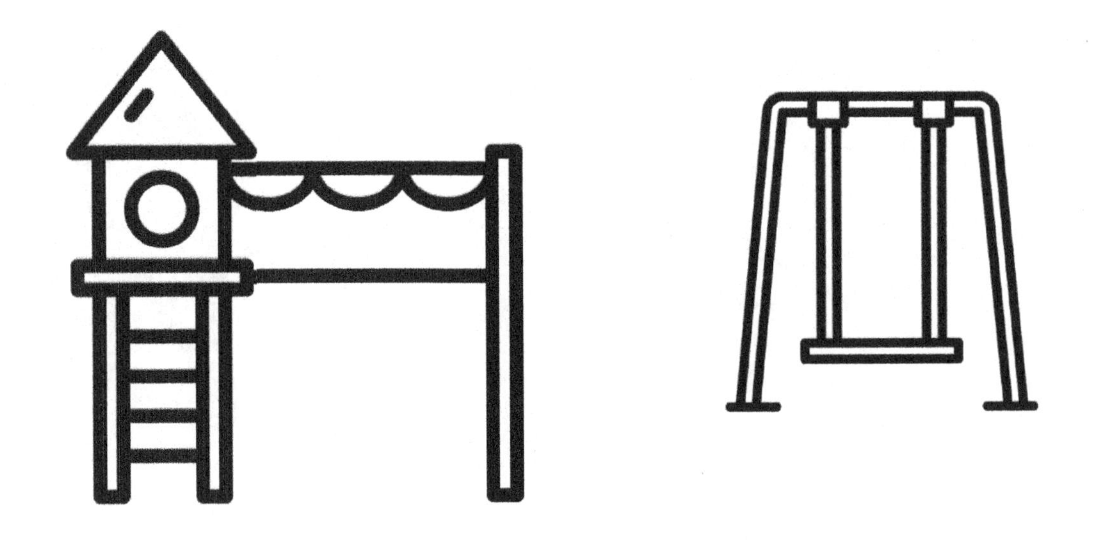

A veces voy al parque.

A veces mis amigos prefieren escuchar música.

No pasa nada por querer hacer algo diferente.

Voy a aprender a hacer cosas nuevas.

Seré amable con los demás.

Voy a escuchar a mi familia.

Siempre hablaré con tranquilidad.

Siempre voy a
decir la verdad.

Voy a hacer preguntas.
Voy a aprender a hacer
cosas nuevas.

Pediré perdón cuando me equivoque.

Diré «te perdono» a los demás cuando se disculpen.

Voy a ayudar a
hacer del mundo
un lugar mejor.

Voy a ser siempre amable y gentil.

Voy a tener Mentalidad de Crecimiento.

Para dibujar

Para dibujar

Para dibujar

Para dibujar

Para dibujar

Para dibujar

Para dibujar

Para dibujar

Para dibujar

Sobre la Autora

La Dra. Michelle Ihrig es una autora y educadora de Metro Atlanta, Georgia. Su mayor cualidad es la habilidad de ver la grandeza de las personas, y de darles las herramientas, los recursos y la motivación que necesitan para trabajar estratégicamente y llegar a brillar.

La Dra. Ihrig es una educadora certificada en matemáticas, educación especial, inglés como lengua adicional y administración. Su doctorado se centra en las mejores prácticas para la educación inclusiva en colegios internacionales.

Made in the USA
Coppell, TX
27 February 2023